DEUX garçons et UN secret

Texte : Andrée Poulin

Illustrations : Marie Lafrance

Une société de Québecor Média
leseditionsdelabagnole.com

ANDRÉE POULIN AUX ÉDITIONS DE LA BAGNOLE :

Le père Noël ne sait pas dire non
(illustrations de Jean Morin)

Catalogage avant publication
de Bibliothèque et Archives nationales
du Québec et Bibliothèque et Archives Canada

Poulin, Andrée

    Deux garçons et un secret
    (La vie devant toi)
    Pour les jeunes.
    ISBN 978-2-89714-169-1
    I. Lafrance, Marie. II. Titre.

PS8581.0837D48 2016   jC843'.54   C2015-942150-0
PS9581.0837D48 2016

GROUPE VILLE-MARIE LITTÉRATURE
VICE-PRÉSIDENT
À L'ÉDITION
Martin Balthazar

DIRECTION LITTÉRAIRE
ET ARTISTIQUE
Lucie Papineau

INFOGRAPHIE
Anne Sol

LES ÉDITIONS DE LA BAGNOLE
Groupe Ville-Marie Littérature inc.
Une société de Québecor Média
1055, boulevard René-Lévesque Est,
bureau 300
Montréal (Québec) H2L 4S5
Tél. : 514 523-7993
Téléc. : 514 282-7530
info@leseditionsdelabagnole.com
leseditionsdelabagnole.com

© Les Éditions de la Bagnole, 2016
Tous droits réservés pour tous pays
ISBN : 978-2-89714-169-1
Dépôt légal : 2ᵉ trimestre 2016
Bibliothèque et Archives nationales du Québec
Bibliothèque et Archives Canada

Les Éditions de la Bagnole bénéficient du soutien
de la Société de développement des entreprises
culturelles du Québec (SODEC) pour leur programme d'édition.
Gouvernement du Québec – Programme de crédit d'impôt
pour l'édition de livres – Gestion SODEC
Nous remercions le Conseil des arts du Canada de l'aide
accordée à notre programme de publication.

Financé par le
gouvernement
du Canada | Canadä

Merci à Michel Therrien pour sa précieuse collaboration

Imprimé au Canada en juin deux mille dix-sept

DISTRIBUTION EN AMÉRIQUE DU NORD
Canada et États-Unis :
Messageries ADP Inc.*
2315, rue de la Province
Longueuil (Québec) J4G 1G4
Pour les commandes : 450 640-1237
messageries-adp.com
*Filiale du Groupe Sogides inc. ;
filiale de Québecor Média inc.

DISTRIBUTION EN EUROPE
France :
INTERFORUM EDITIS
Immeuble Paryseine
3, Allée de la Seine
94854 Ivry-sur-Seine Cedex
Pour les commandes : 02.38.32.71.00
interforum.fr

Belgique :
INTERFORUM BENELUX SA
Fond Jean-Pâques, 4
1348 Louvain-La-Neuve
Pour les commandes : 010.420.310
interforum.be

Suisse :
INTERFORUM SUISSE
Route A.-Piller, 33 A
CP 1574
1701 Fribourg
Pour les commandes : 026.467.54.66
interforumsuisse.ch

La Bagnole est sur Facebook !
Suivez-nous pour être informés des activités
et des nouvelles parutions.
Facebook.com/leseditionsdelabagnole

À Brigitte Moreau, qui a cru en cette histoire.
A. P.

Pour Louis, Edgar, et les autres
M. L.

Les enfants ne viennent pas au monde avec des préjugés.
Les adultes qui les entourent peuvent leur transmettre le
respect de la différence, l'ouverture à la diversité.

Quoi de plus fabuleux qu'un arc-en-ciel ?
Si tout le monde était pareil, la vie
serait moins riche et moins belle.

Andrée Poulin

Un beau matin, Émile fait une découverte dans le carré de sable.
Ça lui donne une idée.
La *plus meilleure* idée de toute sa vie.

Lorsque Mathis vient le rejoindre au parc, Émile lui dit :
– J'ai trouvé une bague ! Veux-tu te marier avec moi ?
– Oui ! Oui ! On se marie ! s'exclame son ami.

Puis Mathis réfléchit :
– Mais moi, je n'ai pas de bague.
– On va demander à Marianne. Elle en a plein, des bagues,
répond Émile.

– Je te donne une de mes bagues, à une condition, dit Marianne.
– C'est quoi, ta condition ? demande Mathis.
– Je serai votre bouquetière.

Les trois enfants préparent la cérémonie.
– Viens nous aider, Justin ! dit Marianne.

Justin hausse les épaules :
– Il faut être grand pour se marier pour de vrai.
Et puis, un mariage entre deux gars, ça se peut pas.
– Émile et Mathis s'aiment. Donc, ils ont le droit de se marier !
répond Marianne.

Lorsque les confettis sont prêts, Émile se faufile
en cachette dans la cuisine.

Lorsque les guirlandes sont prêtes, Mathis se faufile en cachette dans la salle de bain.

Émile met son chapeau de magicien. Ce n'est pas vraiment un chapeau de mariage, mais Émile se trouve beau.

Mathis met une cravate de son papa. Le nœud de cravate n'est pas parfait, mais Mathis se trouve beau.

Sous le grand érable, Émile dit:
– Mathis, tu es mon *plus meilleur* ami. Je me marie avec toi,
comme ça je pourrai emprunter ton camion de pompiers!
Quand on sera grands, on habitera dans la même maison
et on se couchera à l'heure qu'on veut.

Sous le grand érable, Mathis dit :
– Émile, tu es mon *plus meilleur* ami. Je te marie parce que tu ne ris jamais de moi quand je tombe en jouant au hockey. Quand on sera grands, on habitera dans la même maison et on mangera de la réglisse rouge tous les jours.

Ce soir-là, au souper, Émile montre sa bague à ses parents
et leur annonce :
– Je me suis marié avec Mathis aujourd'hui.

La mère d'Émile grimace comme si elle avait mis trop de sel
sur ses patates. Le père d'Émile fronce les sourcils et déclare :
– Ne dis pas de bêtises, Émile. Un gars ne se marie
pas avec un gars. Ça ne se fait pas.

Le lendemain, Émile dit à Mathis :
– Je ne peux plus porter ma bague.
Mon papa ne veut pas qu'on soit mariés.

Ce soir-là, au souper, Mathis dit à ses parents :
– Émile et moi, on n'est plus mariés. Son papa dit qu'un gars,
ça ne peut pas se marier avec un gars.

La mère de Mathis grimace comme si elle avait mis trop de vinaigre
dans sa salade. Le père de Mathis fronce les sourcils et déclare :
– Émile est encore ton meilleur ami. Personne ne peut t'enlever ça.

Lorsque la maman de Mathis le borde dans son lit, elle lui dit:
– Quand tu seras grand, si Émile et toi, vous vous aimez encore,
vous pourrez vous marier pour de vrai.

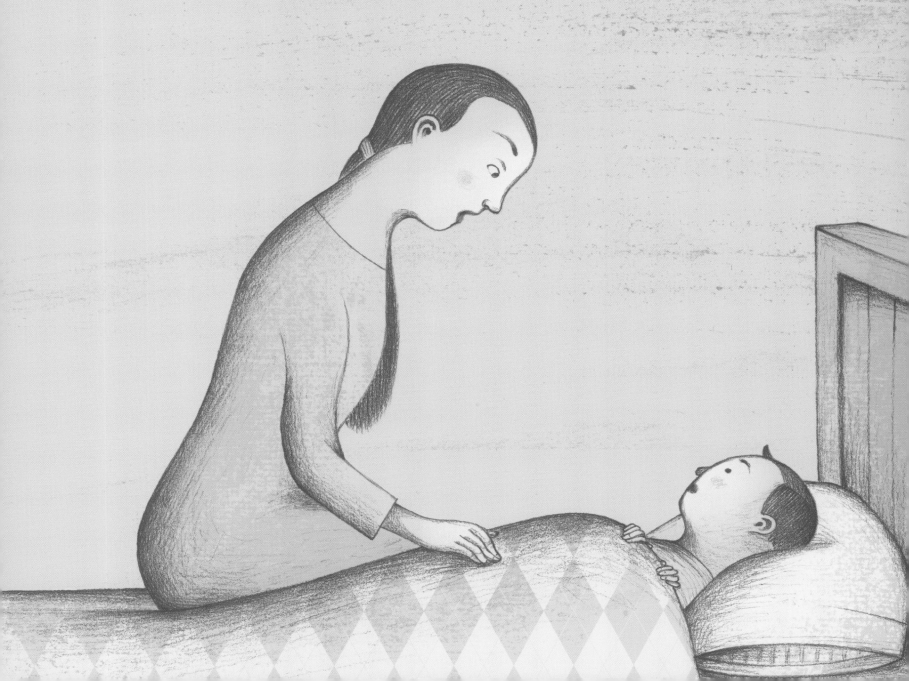

À la récré, Émile ne veut pas jouer aux billes.
Ni au ballon.
Ni dans la cage à grimper.

Marianne lui demande :
– Pourquoi t'es triste, Émile ?
– J'ai été obligé de démarier Mathis. Mes parents disent
que les garçons ne peuvent pas se marier ensemble.

Marianne secoue la tête et dit :
– Les parents ne savent pas toujours tout ! Des fois,
ils se trompent. Maman me l'a dit. Papa aussi.

Émile réfléchit très fort à ce que Marianne lui a dit.
Et ça lui donne une idée.
La *plus meilleure* idée de toute sa vie.

– Marianne, tu me donnes tes rubans ?
– Pourquoi ? demande Marianne.
– C'est un secret. Mais c'est extra-méga-super important.

Émile dit à Mathis :
– Des fois, les parents se trompent. Comme les enfants.

Mathis sourit :
– Des fois, les enfants ont des secrets. Comme les parents.